# THA AN LEABHAR SEO LE

................................................

Dha Mam agus Dad. Mealaibh ur naidheachd air ur 80mh ceann-là-breith. Taing eadar-reultan dha Susan airson gach nì agus dha Jack Lowden airson an leabhar-èisteachd a leughadh. – AW

Dha Graym, mo ghaisgeach – CHH

Taing shònraichte aon uair eile dha Dave Gray agus Paul Croan

Foillsichte le Little Door Books 2017
Am foillseachadh seo 2018

**Little Door Books**

mail@littledoorbooks.co.uk
www.littledoorbooks.co.uk
twitter: @littledoorbooks



A' chiad fhoillseachadh sa Ghàidhlig ann an 2018 le Acair
An Tosgan, Rathad Shìophoirt, Steòrnabhagh, Eilean Leòdhais HS1 2SD

info@acairbooks.com
www.acairbooks.com



An tionndadh Gàidhlig le Doileag NicLeòid
An dealbhachadh sa Ghàidhlig le Mairead Anna NicLeòid

Tha Acair a' faighinn taic bho Bhòrd na Gàidhlig.

Tha clàr CIP den leabhar seo ri fhaotainn bho Leabharlann Bhreatainn

LAGE/ISBN: 978-1-78907-022-4

Riaghladair Carthannas na h-Alba

Carthannas Clàraichte/
Registered Charity SC047866

# PÌOBAN AN AONA PHUTAIN

acair

SGRÌOBHTE LE ALAN WINDRAM
NA DEALBHAN LE CHLOE HOLWILL-HUNTER

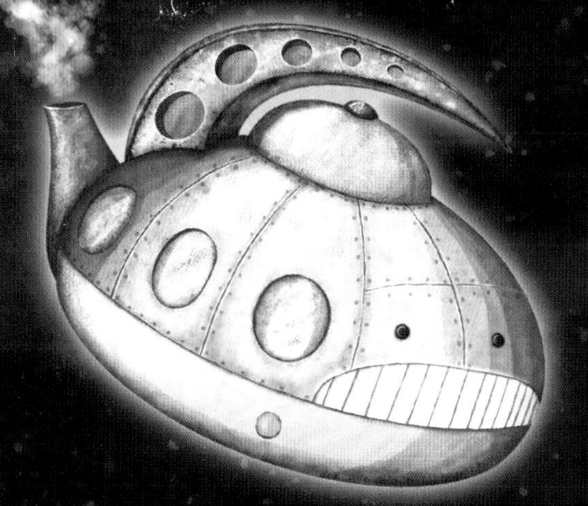

Bha Pìoban eadar-dhealaichte. Bha Pìoban sònraichte.
B' e RÒBOT a bh' ann am Pìoban.

Bha putan mòr dearg aig Pìoban dìreach ann am meadhan a mhionaich. Sgrìobhte air a' phutan ann an litrichean mòra dearga bha na faclan...

Cha do bhrùth Pìoban a-riamh air a phutan,
'S tric a smaoinich e an dùil dè a thachradh.

’S math a bha fios aig Pìoban nach robh esan coltach ri na ròbotan eile. Bha iadsan loma-làn phutanan is le bruthadh orra thachradh nithean iongantach.

Bhiodh na ròbotan eile a' tarraing à Pìoban bochd, ag ràdh:

Cha do chuidich e cùisean gun robh a mhàthair a toirt air Pìoban bodhaig-snàtha a chur air nam biodh e fuar a-muigh.

Gach turas a bhiodh na ròbotan eile a bruthadh am putanan fhèin dhèanadh iad bòst:

'S tric a bhiodh Pìoban a' miannachadh gun tigeadh èiginn gus am faodadh e bruthadh air a phutan mòr dearg.

DÈ MU DHEIDHINN SEO?
AM FAOD MI MO PHUTAN A BHRUTHADH?

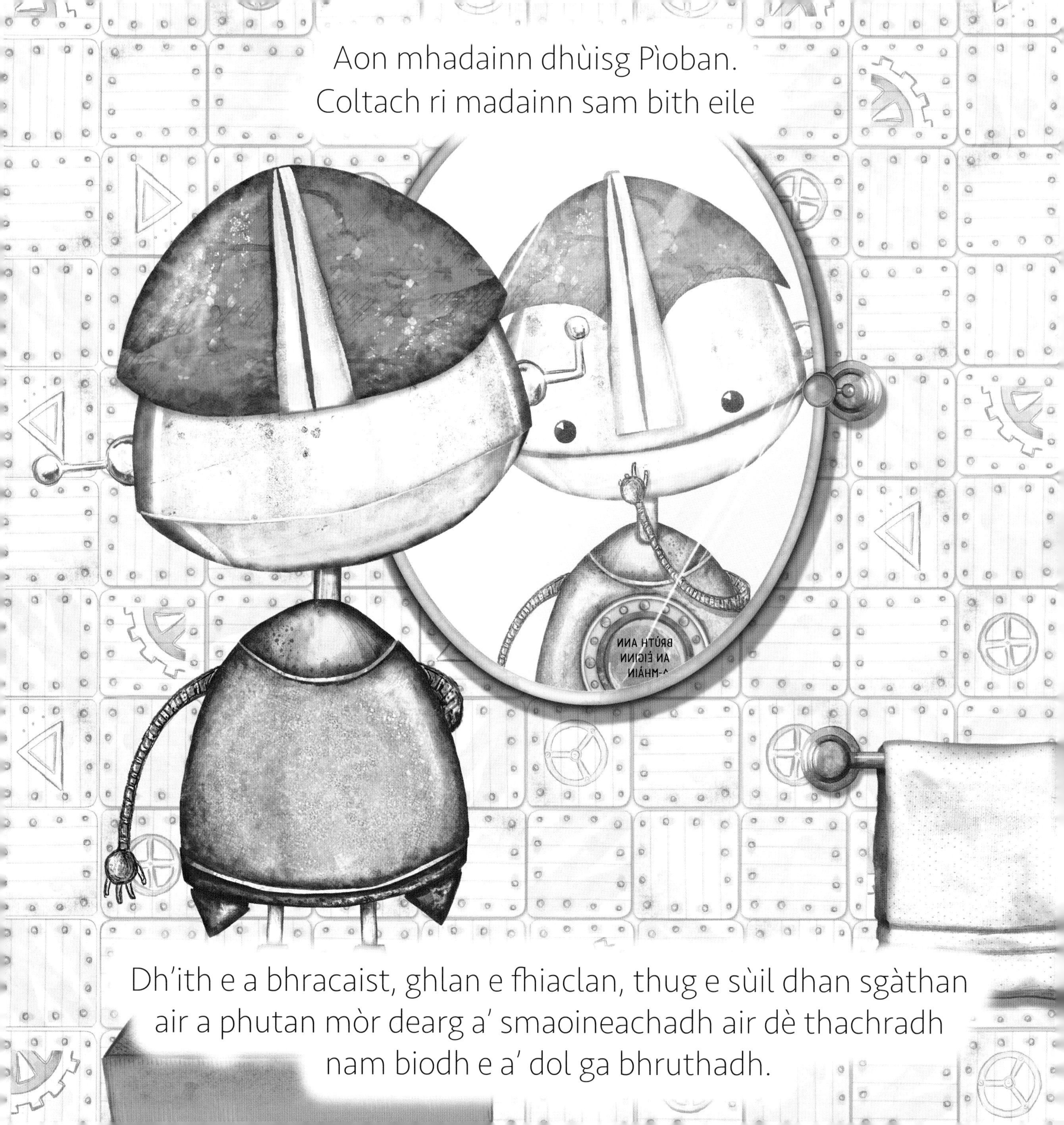
Aon mhadainn dhùisg Pìoban.
Coltach ri madainn sam bith eile
BRÙTH ANN
AN ÈIGINN
A-MHÀIN
Dh’ith e a bhracaist, ghlan e fhiaclan, thug e sùil dhan sgàthan
air a phutan mòr dearg a’ smaoineachadh air dè thachradh
nam biodh e a’ dol ga bhruthadh.

Ach air a' mhadainn seo bha rudeigin eadar-dhealaichte...
Bha rudeigin CEÀRR!

A-muigh air an t-sràid bha gach duine nan deann,
a' ruith is a' riagail, le èigh mhòr an eagail:
THA NA TRUSAICHEAN ANN AN SEO!
OBH OBH, DÈ NI SINN?

THA NA TRUSAICHEAN ANN AN SEO!
BRÙTH ANN AN ÈIGINN A-MHÀIN
Bha Pìoban air cluinntinn mu ma trusaichean...
sgeulachdan eagalach a chumadh na dhùisg e tron
oidhche air falach a-staigh bhon phlaide.

Bha na trusaichean

beag... molach... coimheach le màsan uaine

a' siubhal tro fhànas a' sireadh meatailt dheàlrach shoilleir. Bhiodh iad ga thrusadh, ga thilgeil dhan inneal bruthaidh biastail agus a-mach air a' cheann eile thigeadh poitean-teatha.

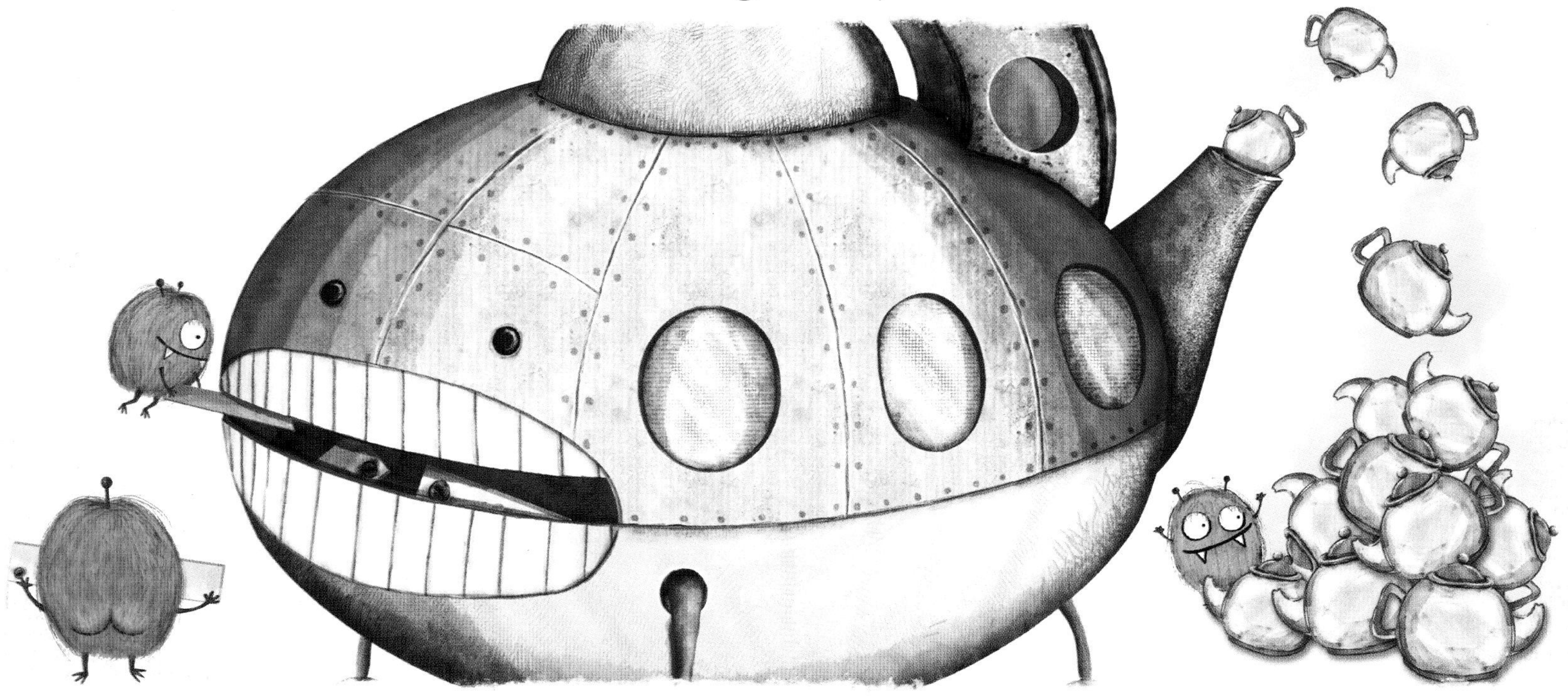

Thàinig na trusaichean tron oidhche nuair a bha a h-uile duine nan cadal agus ghabh iad làmh-an-uachdair air planaid Phìobain.

Bha na ròbotan uile a' gal is na trusaichean a' falbh leotha sìos an t-sràid mhòr chun t-soitheach-fànais… agus an inneal bruthaidh biastail.
CUIDICH SINN!
BIDH SINN UILE BRÙITHTE AGUS NÌ IAD POITEAN-TEATHA DHUINN!

Sheall Pìoban ri mhàthair agus thuirt e:
MAM, MAM,
CHAN EIL MISE AIRSON
A BHITH NAM
PHOIT-TEATHA!
DÈ NÌ SINN?
AN E CÙIS ÈIGINN
A THA SEO?
'S E PÌOBAN,
'S E CÙIS ÈIGINN
A THA SEO.
SIUTHAD, BRÙTH DO
PHUTAN. 'S TUTHSA
A-MHÀIN A NÌ AR
TEASAIRGINN A-NIS.

Chuir Pìoban a chorrag air a' phutan mòr dearg air a mhionach...

dhùin e a shùilean...

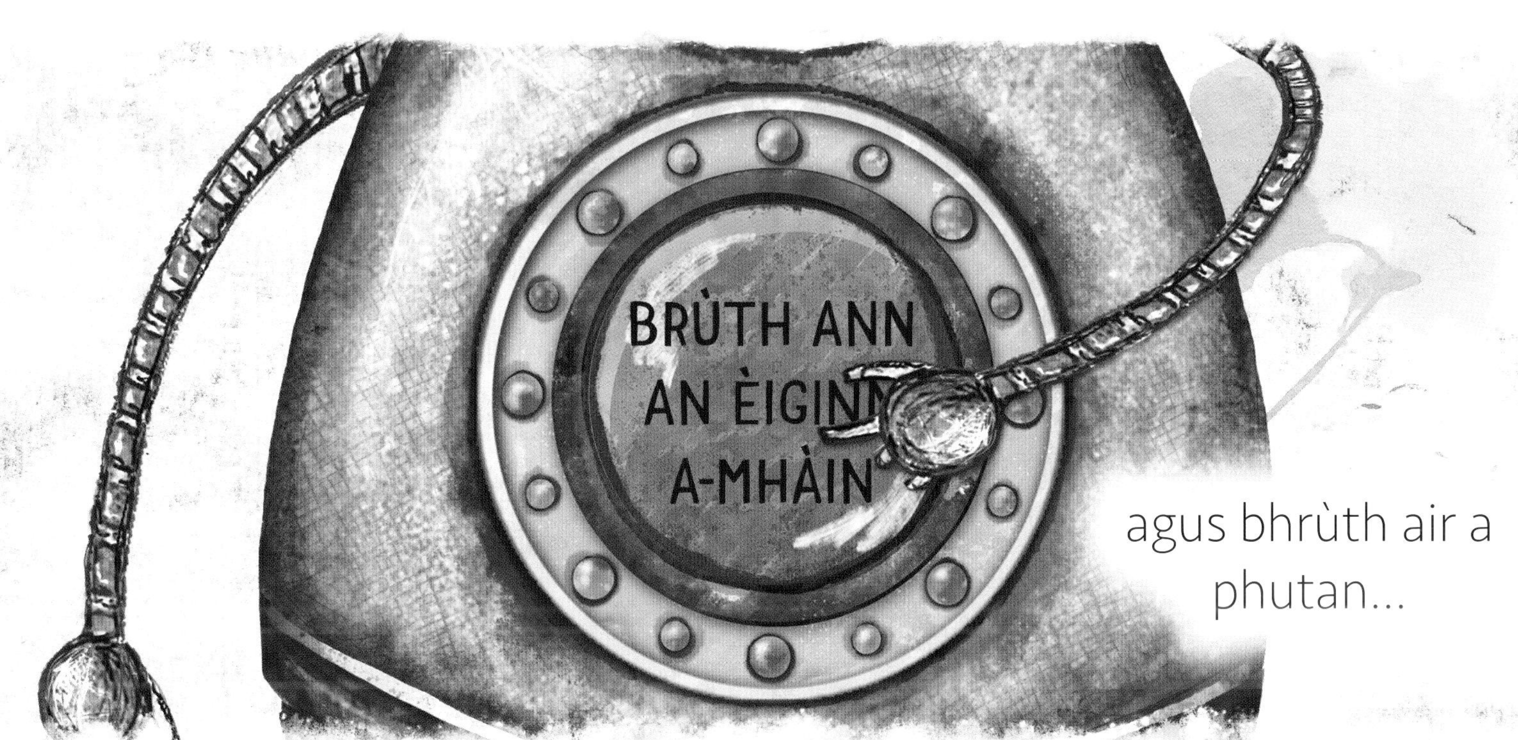


agus bhrùth air a phutan...

Chuir Pìoban a chorrag air a' phutan
mòr dearg air a mhionach...

dhùin e a shùilean...

agus bhrùth air a
phutan...

Ach, cha do thachair càil.

Ach mus do sheall iad riutha fhèin ...

Nach ann a chualas...

BRAG!

Dh'fhalbh Pìoban mar rionnag an earbaill, nas luaithe na an rocaid as luaithe, suas nas àirde is nas àirde, suas dhan iarmailt.

Bhrùth e a phutan a-rithist agus thàinig gathan deàlrach gorm
a' lasadh a-mach bho chorragan agus bho bhàrr a bhrògan,
a' glacadh nan trusaichean bhon cùl agus a' tionndadh nam
màsan aca cho dearg ris an teine.

Bhrùth Pìoban a phutan an treas turas agus thàinig dian-lasair a lion an t-adhar gu lèir le solas.

Siud na trusaichean turach air tharrach, gun stiùir, gun òrdugh.

Bha de dh'eagal aca bho Phìoban agus a chomasan is gun do rinn iad às aig peilear am beatha a-steach dhan t-soitheach-fànais...

mach à seo leotha, is chan fhacas iad gu bràth tuilleadh.

Sheas na ròbotan gun ghluasad a' coimhead air Pìoban le mòr-iongnadh.

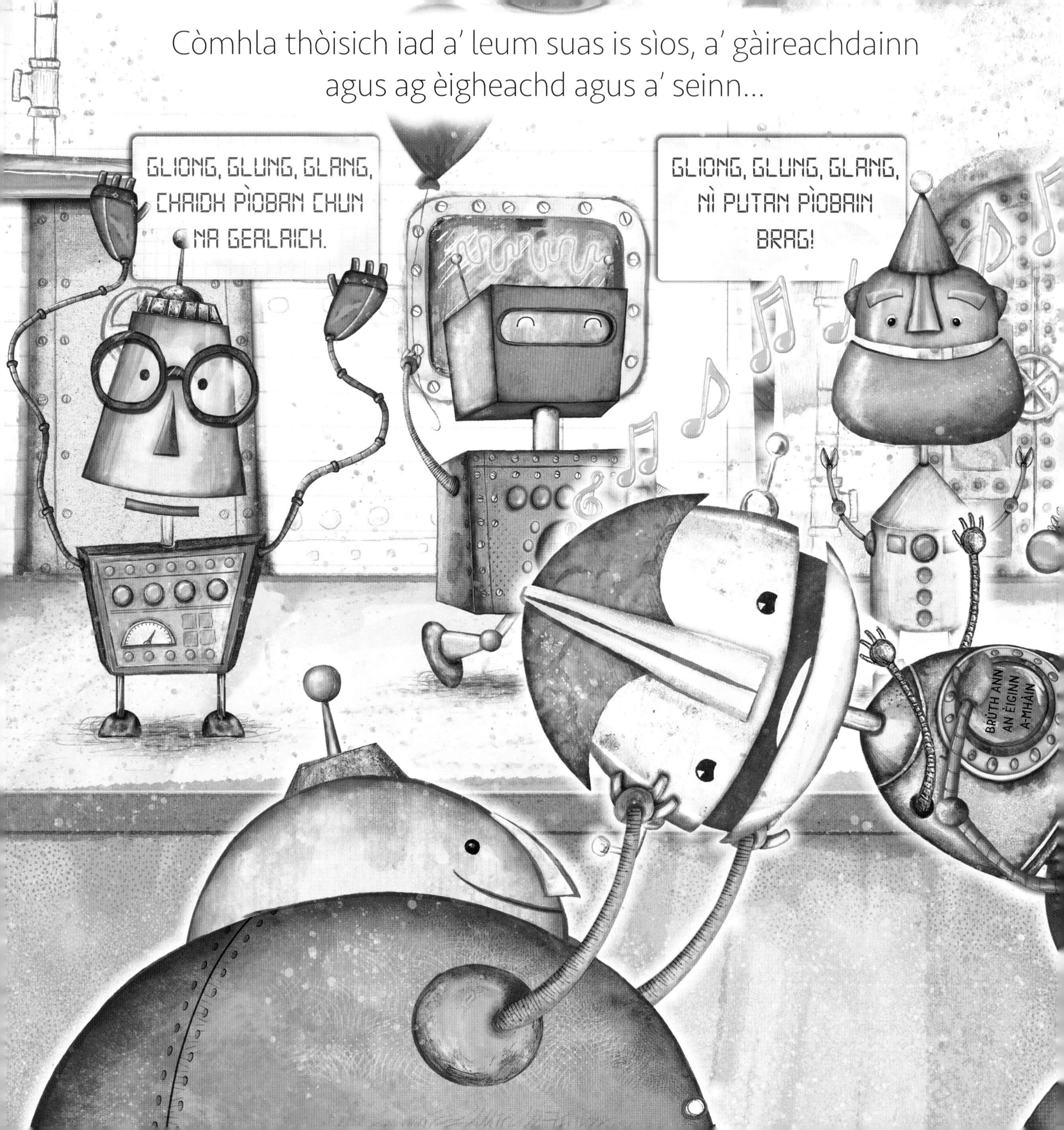
Còmhla thòisich iad a’ leum suas is sìos, a’ gàireachdainn agus ag èigheachd agus a’ seinn...
GLIONG, GLUNG, GLANG, CHAIDH PÌOBAN CHUN NA GEALAICH.
GLIONG, GLUNG, GLANG, NÌ PUTAN PÌOBAIN BRAG!
BRÙTH ANN AN ÈIGINN A-MHÀIN

Thog iad uile Pìoban air an guailnean is dh'fhalbh iad tron bhaile a' seinn is a' dannsadh.

An oidhche sin, bha Pìoban fhathast air bhioran mu na thachair nuair a bhrùth e a Phutan Mòr Dearg. Nuair a bha a mhàthair ga shocrachadh sa leabaidh, dh'fhaighnich Pìoban...
AN DÙIL AM BRÙTH MI MO PHUTAN GU BRÀTH TUILLEADH?
THA MISE AN DÒCHAS NACH TIG SIN ORT PÌOBAN, ACH CÒ AIGE A THA FIOS?

Leis a sin, phòg i Pìoban le oidhche mhath, chuir i às an t-solas, agus mus canadh tu Gliong, Glung, Glang...

Bha Pìoban na shuain chadail.

A' CHRÌOCH.